ミミーは　女神さまの　ところへ　いって、たのみました。

「女神さま、わたしを　人げんに　してください。どうしても、あの　人と　けっこんしたいのです。」

女神さまは、いいました。

「それでは、人げんに　かえてあげましょう。だけど、人げんらしく　しなければ　いけませんよ。」

わかものは、
うつくしい
むすめに　なった
ミミーを　見ると、すぐに　すきに
なってしまい、さっそく　ミミーに
けっこんを　もうしこみました。
「まあ、うれしいわ！」
ミミーは　めでたく　わかものと
けっこんして、わかものの　いえで
くらすことに　なりました。

ところが、ミミーは、
けっこんしてからも
ねこの　ときと
おなじように　一日中　ねてばかり。
りょうりも　そうじも、ぜんぜん
しません。
「なまけものの　むすめだなあ。」
わかものは、あきれました。
女神さまも、ミミーが　なまけて
はたらかないので、おこりました。

女神さまは、
ミミーの　気もちを
ためすために
一ぴきの　ねずみを　はなしました。
「ニャーン、おいしそう！」
ミミーは　おもわず　ねずみに
とびつきました。
「こころは　ねこの　ままなのね。」
女神さまは　あきれて、ミミーを
もとの　ねこに　もどしました。

「ああ、ミミーが
ねこだったなんて。」
　わかものは、
かなしくなって　なきだしました。
　女神さまは　わかものが　かわい
そうになり、うつくしい　むすめと
けっこんさせて　あげました。
　ミミーも、ねこと　けっこんし、
こねこを　生んで、ねずみを　とり
ながら　しあわせに　くらしました。

ありと　はと

　あるとき、いけで　水（みず）を　のもうとしていたありが、足（あし）を　すべらせ、いけの中（なか）に　おちてしまいました。

「だれか、たすけてー！」

しんせつな　はとが、おぼれかけている　ありを　見（み）つけました。

「いま、たすけてあげるよ。」

はとは、木の
はっぱを　とって、
いけに　おとしました。
「ありくん、早く
その　はっぱに　つかまりなさい。」
ありは、はっぱに　はいあがって、
ようやく　たすかりました。
「はとさん、どうも　ありがとう。
いつか　きっと　おんがえしを　し
ますよ。」

しばらくして、
ありが　みちを
あるいていると、
いつか　たすけてくれた　はとが
木の上で　休んでいました。
そこへ、人げんが　やってきて、
はとを　つかまえようと、ゆみやで
ねらいを　つけました。
「はとさん、あぶないよー。」
はとには、きこえません。

「ようし、足に
かみついてやる！」
ありは、人げんの
足に　おもいきり　かみつきました。
「わあっ、いてて！」
人げんは、おどろいて、ねらいを
はずしてしまいました。バサッ！
はとは　人げんに　気が　ついて、
とおくへ　にげてしまいました。
「おんがえしできて、よかったよ。」

ろばの　ライオン

ある日、ろばが、
みちに　おちている　ライオンの
けがわを　見つけました。
「いいものを　ひろったぞ。これで
みんなを　おどかしてやろう。」
ろばは、ライオンの　けがわを
あたまから　かぶりました。
「ほうら、ライオンそっくりだぞ。」

ライオンの
けがわを　きた
ろばは、いばって
あるきまわります。
「ライオンさまの　おとおりだ。」
どうぶつたちは　みんな、ろばを
ほんとうの　ライオンだと　おもい、
こわがって　にげだしました。
「ああ、ゆかい。みんなが　ぼくを
こわがっているぞ。」

ろばは、 すっかり
とくいに なりました。
「ライオンのように
ほえて、 もっと おどかしてやろう。
ブヒヒーン、 ブヒヒーン！」
ろばは、 〝ガオーッ〟と ほえた
つもりでしたが、 なきごえまでは、
まねできません。 ろばの こえを
きいて、 きつねが さけびました。
「あの ライオンは、 にせものだ。」

ろばに　だまされた
ことを　しって、
どうぶつたちは、
かんかんに　おこりました。
「ライオンに　ばけて　みんなを
おどかすなんて、ひどい　やつだ。」
ろばは、みんなに　なぐられて
なきだしました。
「あーん、ライオンの　まねなんか
しなければ、よかったよ。」

よくばりな　さかな

うみの　そこでは、さかなたちが　たくさん　あつまり、なかよく　くらしています。

そこへ、よくばりで　くいしんぼうの　大きな　さかなの　むれが　やってきました。

「どけどけ、おれたちの　えさだ。おまえたちには　やらないぞ。」

よくばりな
さかなたちは、
ほかの　さかなの
えさを　よこどりして、　ぶくぶく
ふとっていきますが、　はんたいに
ほかの　さかなたちは　たべる
ものが　なくなって、　がりがりに
やせてしまいました。
「このままでは、　みんな　おなかが
すいて　しんでしまうよ。」

ある日(ひ)
さかなたちが
あつまっている
ところへ、りょうしが　やってきて、
バサッ(ばさっ)と　あみを　なげました。
「たいへんだ、つかまってしまう。」
さかなたちは、大(おお)あわてで　にげ
まわります。
よくばりな　さかなも、いそいで
にげだそうと　しました。

やせた　小さな
さかなたちは、
あみの　目を
くぐりぬけて、にげていきました。
でも、ふとりすぎた　よくばりな
さかなは、あみの　目を　ぬける
ことが　できません。
よくばりな　さかなは、のこらず
つかまり、小さな　さかなたちは、
また　なかよく　くらしました。

おんしらずの　おおかみ

ひつじかいの　男の子が
ひつじを　つれて　あるいていると、
さけびごえが　きこえてきました。
「ウォーン、たすけてくれー！」
なんと、それは　あなに　おちた
おおかみの　こえでした。
「おねがいです。どうか　あなから
だしてください。」

男の子は、かわいそうになって、いいました。

「じゃあ、ひっぱってあげるから、まえ足をだしてくれるかい。」

男の子はおおかみのまえ足をひもでしばってひっぱりました。

ところが、ひもがプツン！ときれて、おおかみは**ドッスーン**としりもちをついてしまいました。

「ごめん、ごめん。
こんどは　ちゃんと
ひっぱるからね。」
男の子は、おおかみの　まえ足を
もって、ひっぱりあげました。
あなから　でてきた　おおかみは
男の子に　おそいかかります。
「たすけてあげたのに　ひどいよ。」
「おまえは、おれさまを　あなに
つきおとしたじゃないか。」

そこへ　さるが
とおりかかって、
ふたりに　わけを　ききました。
「こいつは、おれさまの　まえ足を
しばって、あなに　おとしたんだ。」
「ひもが　きれたからだよ。」
さるは、しばらく　かんがえて、
「なるほど。どちらが　正しいか
たしかめるために　もう　一ど、
おなじことを　してみてごらん。」

そこで、
おおかみは　また、
あなに　入りました。
「おんしらずの　おおかみなんか、
もう　たすけて
やらないよ。」
男の子と
さるは、
さっさと
いってしまいました。